I HAVE NO IDEA

DATE: / /

WHAT'S FOR BREAKFAST:

SHOPPING LIST:

WHAT'S FOR LUNCH:

WHAT'S FOR DINNER:

DON'T FORGET SNACKS:

TODAY'S LEVEL OF HUNGER:

I HAVE NO IDEA WHAT TO EAT

DATE: / /

WHAT'S FOR BREAKFAST:

WHAT'S FOR LUNCH:

WHAT'S FOR DINNER:

DON'T FORGET SNACKS:

SHOPPING LIST:

- ☐
- ☐
- ☐
- ☐
- ☐
- ☐
- ☐
- ☐
- ☐
- ☐
- ☐
- ☐
- ☐
- ☐
- ☐
- ☐
- ☐
- ☐
- ☐
- ☐
- ☐
- ☐
- ☐
- ☐

TODAY'S LEVEL OF HUNGER:

I HAVE NO IDEA WHAT TO EAT

DATE: / /

WHAT'S FOR BREAKFAST:

WHAT'S FOR LUNCH:

WHAT'S FOR DINNER:

DON'T FORGET SNACKS:

SHOPPING LIST:

- ☐
- ☐
- ☐
- ☐
- ☐
- ☐
- ☐
- ☐
- ☐
- ☐
- ☐
- ☐
- ☐
- ☐
- ☐
- ☐
- ☐
- ☐
- ☐
- ☐
- ☐
- ☐
- ☐

TODAY'S LEVEL OF HUNGER:

I HAVE NO IDEA WHAT TO EAT

DATE: / /

WHAT'S FOR BREAKFAST:

WHAT'S FOR LUNCH:

WHAT'S FOR DINNER:

DON'T FORGET SNACKS:

SHOPPING LIST:

- ☐
- ☐
- ☐
- ☐
- ☐
- ☐
- ☐
- ☐
- ☐
- ☐
- ☐
- ☐
- ☐
- ☐
- ☐
- ☐
- ☐
- ☐
- ☐
- ☐
- ☐
- ☐
- ☐

TODAY'S LEVEL OF HUNGER:

I HAVE NO IDEA WHAT TO EAT

DATE: / /

WHAT'S FOR BREAKFAST:

WHAT'S FOR LUNCH:

WHAT'S FOR DINNER:

DON'T FORGET SNACKS:

SHOPPING LIST:

- ☐
- ☐
- ☐
- ☐
- ☐
- ☐
- ☐
- ☐
- ☐
- ☐
- ☐
- ☐
- ☐
- ☐
- ☐
- ☐
- ☐
- ☐
- ☐
- ☐
- ☐
- ☐
- ☐
- ☐

TODAY'S LEVEL OF HUNGER:

I HAVE NO IDEA WHAT TO EAT

DATE: / /

WHAT'S FOR BREAKFAST:

WHAT'S FOR LUNCH:

WHAT'S FOR DINNER:

DON'T FORGET SNACKS:

SHOPPING LIST:

- [ ]
- [ ]
- [ ]
- [ ]
- [ ]
- [ ]
- [ ]
- [ ]
- [ ]
- [ ]
- [ ]
- [ ]
- [ ]
- [ ]
- [ ]
- [ ]
- [ ]
- [ ]
- [ ]
- [ ]
- [ ]
- [ ]
- [ ]
- [ ]

TODAY'S LEVEL OF HUNGER:

I HAVE NO IDEA WHAT TO EAT

DATE: / /

WHAT'S FOR BREAKFAST:

WHAT'S FOR LUNCH:

WHAT'S FOR DINNER:

DON'T FORGET SNACKS:

SHOPPING LIST:

- ☐
- ☐
- ☐
- ☐
- ☐
- ☐
- ☐
- ☐
- ☐
- ☐
- ☐
- ☐
- ☐
- ☐
- ☐
- ☐
- ☐
- ☐
- ☐
- ☐
- ☐
- ☐

TODAY'S LEVEL OF HUNGER:

I HAVE NO IDEA WHAT TO EAT

DATE: / /

WHAT'S FOR BREAKFAST:

WHAT'S FOR LUNCH:

WHAT'S FOR DINNER:

DON'T FORGET SNACKS:

SHOPPING LIST:

- ☐
- ☐
- ☐
- ☐
- ☐
- ☐
- ☐
- ☐
- ☐
- ☐
- ☐
- ☐
- ☐
- ☐
- ☐
- ☐
- ☐
- ☐
- ☐
- ☐
- ☐
- ☐
- ☐

TODAY'S LEVEL OF HUNGER:

I HAVE NO IDEA WHAT TO EAT

DATE: / /

WHAT'S FOR BREAKFAST:

WHAT'S FOR LUNCH:

WHAT'S FOR DINNER:

DON'T FORGET SNACKS:

SHOPPING LIST:

- ☐
- ☐
- ☐
- ☐
- ☐
- ☐
- ☐
- ☐
- ☐
- ☐
- ☐
- ☐
- ☐
- ☐
- ☐
- ☐
- ☐
- ☐
- ☐
- ☐
- ☐
- ☐
- ☐

TODAY'S LEVEL OF HUNGER:

I HAVE NO IDEA WHAT TO EAT

DATE: / /

WHAT'S FOR BREAKFAST:

WHAT'S FOR LUNCH:

WHAT'S FOR DINNER:

DON'T FORGET SNACKS:

SHOPPING LIST:

- ☐
- ☐
- ☐
- ☐
- ☐
- ☐
- ☐
- ☐
- ☐
- ☐
- ☐
- ☐
- ☐
- ☐
- ☐
- ☐
- ☐
- ☐
- ☐
- ☐
- ☐
- ☐
- ☐
- ☐

TODAY'S LEVEL OF HUNGER:

I HAVE NO IDEA WHAT TO EAT

DATE: / /

WHAT'S FOR BREAKFAST:

WHAT'S FOR LUNCH:

WHAT'S FOR DINNER:

DON'T FORGET SNACKS:

SHOPPING LIST:

- ☐
- ☐
- ☐
- ☐
- ☐
- ☐
- ☐
- ☐
- ☐
- ☐
- ☐
- ☐
- ☐
- ☐
- ☐
- ☐
- ☐
- ☐
- ☐
- ☐
- ☐
- ☐
- ☐

TODAY'S LEVEL OF HUNGER:

I HAVE NO IDEA WHAT TO EAT

DATE: / /

WHAT'S FOR BREAKFAST:

WHAT'S FOR LUNCH:

WHAT'S FOR DINNER:

DON'T FORGET SNACKS:

SHOPPING LIST:

- ☐
- ☐
- ☐
- ☐
- ☐
- ☐
- ☐
- ☐
- ☐
- ☐
- ☐
- ☐
- ☐
- ☐
- ☐
- ☐
- ☐
- ☐
- ☐
- ☐
- ☐
- ☐
- ☐

TODAY'S LEVEL OF HUNGER:

I HAVE NO IDEA WHAT TO EAT

DATE: / /

WHAT'S FOR BREAKFAST:

WHAT'S FOR LUNCH:

WHAT'S FOR DINNER:

DON'T FORGET SNACKS:

SHOPPING LIST:

- ☐
- ☐
- ☐
- ☐
- ☐
- ☐
- ☐
- ☐
- ☐
- ☐
- ☐
- ☐
- ☐
- ☐
- ☐
- ☐
- ☐
- ☐
- ☐
- ☐
- ☐
- ☐
- ☐

TODAY'S LEVEL OF HUNGER:

I HAVE NO IDEA WHAT TO EAT

DATE: / /

WHAT'S FOR BREAKFAST:

WHAT'S FOR LUNCH:

WHAT'S FOR DINNER:

DON'T FORGET SNACKS:

SHOPPING LIST:

- ☐
- ☐
- ☐
- ☐
- ☐
- ☐
- ☐
- ☐
- ☐
- ☐
- ☐
- ☐
- ☐
- ☐
- ☐
- ☐
- ☐
- ☐
- ☐
- ☐
- ☐
- ☐
- ☐
- ☐

TODAY'S LEVEL OF HUNGER:

I HAVE NO IDEA WHAT TO EAT

DATE: / /

WHAT'S FOR BREAKFAST:

WHAT'S FOR LUNCH:

WHAT'S FOR DINNER:

DON'T FORGET SNACKS:

SHOPPING LIST:

- ☐
- ☐
- ☐
- ☐
- ☐
- ☐
- ☐
- ☐
- ☐
- ☐
- ☐
- ☐
- ☐
- ☐
- ☐
- ☐
- ☐
- ☐
- ☐
- ☐
- ☐
- ☐
- ☐

TODAY'S LEVEL OF HUNGER:

I HAVE NO IDEA WHAT TO EAT

DATE: / /

WHAT'S FOR BREAKFAST:

WHAT'S FOR LUNCH:

WHAT'S FOR DINNER:

DON'T FORGET SNACKS:

SHOPPING LIST:

- ☐
- ☐
- ☐
- ☐
- ☐
- ☐
- ☐
- ☐
- ☐
- ☐
- ☐
- ☐
- ☐
- ☐
- ☐
- ☐
- ☐
- ☐
- ☐
- ☐
- ☐
- ☐
- ☐

TODAY'S LEVEL OF HUNGER:

I HAVE NO IDEA WHAT TO EAT

DATE: / /

WHAT'S FOR BREAKFAST:

WHAT'S FOR LUNCH:

WHAT'S FOR DINNER:

DON'T FORGET SNACKS:

SHOPPING LIST:

- [ ]
- [ ]
- [ ]
- [ ]
- [ ]
- [ ]
- [ ]
- [ ]
- [ ]
- [ ]
- [ ]
- [ ]
- [ ]
- [ ]
- [ ]
- [ ]
- [ ]
- [ ]
- [ ]
- [ ]
- [ ]
- [ ]
- [ ]

TODAY'S LEVEL OF HUNGER:

I HAVE NO IDEA WHAT TO EAT

DATE: / /

WHAT'S FOR BREAKFAST:

WHAT'S FOR LUNCH:

WHAT'S FOR DINNER:

DON'T FORGET SNACKS:

SHOPPING LIST:

- ☐
- ☐
- ☐
- ☐
- ☐
- ☐
- ☐
- ☐
- ☐
- ☐
- ☐
- ☐
- ☐
- ☐
- ☐
- ☐
- ☐
- ☐
- ☐
- ☐
- ☐
- ☐
- ☐

TODAY'S LEVEL OF HUNGER:

I HAVE NO IDEA WHAT TO EAT

DATE: / /

WHAT'S FOR BREAKFAST:

WHAT'S FOR LUNCH:

WHAT'S FOR DINNER:

DON'T FORGET SNACKS:

SHOPPING LIST:

- [ ]
- [ ]
- [ ]
- [ ]
- [ ]
- [ ]
- [ ]
- [ ]
- [ ]
- [ ]
- [ ]
- [ ]
- [ ]
- [ ]
- [ ]
- [ ]
- [ ]
- [ ]
- [ ]
- [ ]
- [ ]
- [ ]
- [ ]
- [ ]

TODAY'S LEVEL OF HUNGER:

I HAVE NO IDEA WHAT TO EAT

DATE: / /

WHAT'S FOR BREAKFAST:

WHAT'S FOR LUNCH:

WHAT'S FOR DINNER:

DON'T FORGET SNACKS:

SHOPPING LIST:

- ☐
- ☐
- ☐
- ☐
- ☐
- ☐
- ☐
- ☐
- ☐
- ☐
- ☐
- ☐
- ☐
- ☐
- ☐
- ☐
- ☐
- ☐
- ☐
- ☐
- ☐
- ☐

TODAY'S LEVEL OF HUNGER:

I HAVE NO IDEA WHAT TO EAT

DATE: / /

WHAT'S FOR BREAKFAST:

WHAT'S FOR LUNCH:

WHAT'S FOR DINNER:

DON'T FORGET SNACKS:

SHOPPING LIST:

- ☐
- ☐
- ☐
- ☐
- ☐
- ☐
- ☐
- ☐
- ☐
- ☐
- ☐
- ☐
- ☐
- ☐
- ☐
- ☐
- ☐
- ☐
- ☐
- ☐
- ☐
- ☐
- ☐

TODAY'S LEVEL OF HUNGER:

I HAVE NO IDEA WHAT TO EAT

DATE: / /

WHAT'S FOR BREAKFAST:

WHAT'S FOR LUNCH:

WHAT'S FOR DINNER:

DON'T FORGET SNACKS:

SHOPPING LIST:

- ☐
- ☐
- ☐
- ☐
- ☐
- ☐
- ☐
- ☐
- ☐
- ☐
- ☐
- ☐
- ☐
- ☐
- ☐
- ☐
- ☐
- ☐
- ☐
- ☐
- ☐
- ☐
- ☐

TODAY'S LEVEL OF HUNGER:

I HAVE NO IDEA WHAT TO EAT

DATE: / /

WHAT'S FOR BREAKFAST:

WHAT'S FOR LUNCH:

WHAT'S FOR DINNER:

DON'T FORGET SNACKS:

SHOPPING LIST:

- ☐
- ☐
- ☐
- ☐
- ☐
- ☐
- ☐
- ☐
- ☐
- ☐
- ☐
- ☐
- ☐
- ☐
- ☐
- ☐
- ☐
- ☐
- ☐
- ☐
- ☐
- ☐
- ☐

TODAY'S LEVEL OF HUNGER:

I HAVE NO IDEA WHAT TO EAT

DATE: / /

WHAT'S FOR BREAKFAST:

WHAT'S FOR LUNCH:

WHAT'S FOR DINNER:

DON'T FORGET SNACKS:

SHOPPING LIST:

- ☐
- ☐
- ☐
- ☐
- ☐
- ☐
- ☐
- ☐
- ☐
- ☐
- ☐
- ☐
- ☐
- ☐
- ☐
- ☐
- ☐
- ☐
- ☐
- ☐
- ☐
- ☐
- ☐

TODAY'S LEVEL OF HUNGER:

I HAVE NO IDEA WHAT TO EAT

DATE: / /

WHAT'S FOR BREAKFAST:

SHOPPING LIST:

- [ ]
- [ ]
- [ ]
- [ ]
- [ ]
- [ ]
- [ ]
- [ ]
- [ ]
- [ ]
- [ ]
- [ ]
- [ ]
- [ ]
- [ ]
- [ ]
- [ ]
- [ ]
- [ ]
- [ ]
- [ ]
- [ ]
- [ ]

WHAT'S FOR LUNCH:

WHAT'S FOR DINNER:

DON'T FORGET SNACKS:

TODAY'S LEVEL OF HUNGER:

I HAVE NO IDEA WHAT TO EAT

DATE: / /

WHAT'S FOR BREAKFAST:

WHAT'S FOR LUNCH:

WHAT'S FOR DINNER:

DON'T FORGET SNACKS:

SHOPPING LIST:

- ☐
- ☐
- ☐
- ☐
- ☐
- ☐
- ☐
- ☐
- ☐
- ☐
- ☐
- ☐
- ☐
- ☐
- ☐
- ☐
- ☐
- ☐
- ☐
- ☐
- ☐
- ☐
- ☐

TODAY'S LEVEL OF HUNGER:

I HAVE NO IDEA WHAT TO EAT

DATE: / /

WHAT'S FOR BREAKFAST:

SHOPPING LIST:

- [ ]
- [ ]
- [ ]
- [ ]
- [ ]
- [ ]
- [ ]
- [ ]
- [ ]
- [ ]
- [ ]
- [ ]
- [ ]
- [ ]
- [ ]
- [ ]
- [ ]
- [ ]
- [ ]
- [ ]
- [ ]
- [ ]
- [ ]

WHAT'S FOR LUNCH:

WHAT'S FOR DINNER:

DON'T FORGET SNACKS:

TODAY'S LEVEL OF HUNGER:

I HAVE NO IDEA WHAT TO EAT

DATE: / /

WHAT'S FOR BREAKFAST:

WHAT'S FOR LUNCH:

WHAT'S FOR DINNER:

DON'T FORGET SNACKS:

SHOPPING LIST:

- ☐
- ☐
- ☐
- ☐
- ☐
- ☐
- ☐
- ☐
- ☐
- ☐
- ☐
- ☐
- ☐
- ☐
- ☐
- ☐
- ☐
- ☐
- ☐
- ☐
- ☐
- ☐
- ☐
- ☐

TODAY'S LEVEL OF HUNGER:

I HAVE NO IDEA WHAT TO EAT

DATE: / /

WHAT'S FOR BREAKFAST:

WHAT'S FOR LUNCH:

WHAT'S FOR DINNER:

DON'T FORGET SNACKS:

SHOPPING LIST:

- ☐
- ☐
- ☐
- ☐
- ☐
- ☐
- ☐
- ☐
- ☐
- ☐
- ☐
- ☐
- ☐
- ☐
- ☐
- ☐
- ☐
- ☐
- ☐
- ☐
- ☐
- ☐
- ☐

TODAY'S LEVEL OF HUNGER:

I HAVE NO IDEA WHAT TO EAT

DATE: / /

WHAT'S FOR BREAKFAST:

WHAT'S FOR LUNCH:

WHAT'S FOR DINNER:

DON'T FORGET SNACKS:

SHOPPING LIST:

- ☐
- ☐
- ☐
- ☐
- ☐
- ☐
- ☐
- ☐
- ☐
- ☐
- ☐
- ☐
- ☐
- ☐
- ☐
- ☐
- ☐
- ☐
- ☐
- ☐
- ☐
- ☐
- ☐

TODAY'S LEVEL OF HUNGER:

I HAVE NO IDEA WHAT TO EAT

DATE: / /

WHAT'S FOR BREAKFAST:

WHAT'S FOR LUNCH:

WHAT'S FOR DINNER:

DON'T FORGET SNACKS:

SHOPPING LIST:

- ☐
- ☐
- ☐
- ☐
- ☐
- ☐
- ☐
- ☐
- ☐
- ☐
- ☐
- ☐
- ☐
- ☐
- ☐
- ☐
- ☐
- ☐
- ☐
- ☐
- ☐
- ☐
- ☐

TODAY'S LEVEL OF HUNGER:

I HAVE NO IDEA WHAT TO EAT

DATE: / /

WHAT'S FOR BREAKFAST:

WHAT'S FOR LUNCH:

WHAT'S FOR DINNER:

DON'T FORGET SNACKS:

SHOPPING LIST:

- ☐
- ☐
- ☐
- ☐
- ☐
- ☐
- ☐
- ☐
- ☐
- ☐
- ☐
- ☐
- ☐
- ☐
- ☐
- ☐
- ☐
- ☐
- ☐
- ☐
- ☐
- ☐
- ☐
- ☐

TODAY'S LEVEL OF HUNGER:

I HAVE NO IDEA WHAT TO EAT

DATE: / /

WHAT'S FOR BREAKFAST:

WHAT'S FOR LUNCH:

WHAT'S FOR DINNER:

DON'T FORGET SNACKS:

SHOPPING LIST:

- [ ]
- [ ]
- [ ]
- [ ]
- [ ]
- [ ]
- [ ]
- [ ]
- [ ]
- [ ]
- [ ]
- [ ]
- [ ]
- [ ]
- [ ]
- [ ]
- [ ]
- [ ]
- [ ]
- [ ]
- [ ]
- [ ]
- [ ]
- [ ]

TODAY'S LEVEL OF HUNGER:

I HAVE NO IDEA WHAT TO EAT

DATE: / /

WHAT'S FOR BREAKFAST:

WHAT'S FOR LUNCH:

WHAT'S FOR DINNER:

DON'T FORGET SNACKS:

SHOPPING LIST:

- ☐
- ☐
- ☐
- ☐
- ☐
- ☐
- ☐
- ☐
- ☐
- ☐
- ☐
- ☐
- ☐
- ☐
- ☐
- ☐
- ☐
- ☐
- ☐
- ☐
- ☐
- ☐
- ☐
- ☐

TODAY'S LEVEL OF HUNGER:

I HAVE NO IDEA WHAT TO EAT

DATE: / /

WHAT'S FOR BREAKFAST:

WHAT'S FOR LUNCH:

WHAT'S FOR DINNER:

DON'T FORGET SNACKS:

SHOPPING LIST:

- [ ]
- [ ]
- [ ]
- [ ]
- [ ]
- [ ]
- [ ]
- [ ]
- [ ]
- [ ]
- [ ]
- [ ]
- [ ]
- [ ]
- [ ]
- [ ]
- [ ]
- [ ]
- [ ]
- [ ]
- [ ]
- [ ]
- [ ]
- [ ]
- [ ]
- [ ]
- [ ]
- [ ]
- [ ]
- [ ]
- [ ]
- [ ]
- [ ]
- [ ]
- [ ]
- [ ]
- [ ]
- [ ]
- [ ]
- [ ]
- [ ]
- [ ]
- [ ]
- [ ]
- [ ]
- [ ]
- [ ]
- [ ]
- [ ]
- [ ]
- [ ]
- [ ]
- [ ]
- [ ]
- [ ]
- [ ]
- [ ]
- [ ]
- [ ]
- [ ]
- [ ]
- [ ]
- [ ]
- [ ]
- [ ]
- [ ]
- [ ]
- [ ]
- [ ]
- [ ]
- [ ]
- [ ]
- [ ]
- [ ]
- [ ]
- [ ]
- [ ]
- [ ]
- [ ]
- [ ]
- [ ]
- [ ]
- [ ]
- [ ]
- [ ]
- [ ]
- [ ]
- [ ]
- [ ]
- [ ]
- [ ]
- [ ]
- [ ]
- [ ]
- [ ]
- [ ]
- [ ]
- [ ]
- [ ]
- [ ]
- [ ]
- [ ]
- [ ]
- [ ]
- [ ]
- [ ]
- [ ]
- [ ]
- [ ]
- [ ]
- [ ]
- [ ]
- [ ]
- [ ]
- [ ]
- [ ]
- [ ]
- [ ]
- [ ]
- [ ]
- [ ]
- [ ]
- [ ]
- [ ]
- [ ]
- [ ]
- [ ]

TODAY'S LEVEL OF HUNGER:

I HAVE NO IDEA WHAT TO EAT

DATE: / /

WHAT'S FOR BREAKFAST:

WHAT'S FOR LUNCH:

WHAT'S FOR DINNER:

DON'T FORGET SNACKS:

SHOPPING LIST:

- ☐
- ☐
- ☐
- ☐
- ☐
- ☐
- ☐
- ☐
- ☐
- ☐
- ☐
- ☐
- ☐
- ☐
- ☐
- ☐
- ☐
- ☐
- ☐
- ☐
- ☐
- ☐
- ☐

TODAY'S LEVEL OF HUNGER:

I HAVE NO IDEA WHAT TO EAT

DATE: / /

WHAT'S FOR BREAKFAST:

WHAT'S FOR LUNCH:

WHAT'S FOR DINNER:

DON'T FORGET SNACKS:

SHOPPING LIST:

- ☐
- ☐
- ☐
- ☐
- ☐
- ☐
- ☐
- ☐
- ☐
- ☐
- ☐
- ☐
- ☐
- ☐
- ☐
- ☐
- ☐
- ☐
- ☐
- ☐
- ☐
- ☐
- ☐

TODAY'S LEVEL OF HUNGER:

I HAVE NO IDEA WHAT TO EAT

DATE: / /

WHAT'S FOR BREAKFAST:

WHAT'S FOR LUNCH:

WHAT'S FOR DINNER:

DON'T FORGET SNACKS:

SHOPPING LIST:

- ☐
- ☐
- ☐
- ☐
- ☐
- ☐
- ☐
- ☐
- ☐
- ☐
- ☐
- ☐
- ☐
- ☐
- ☐
- ☐
- ☐
- ☐
- ☐
- ☐
- ☐
- ☐
- ☐

TODAY'S LEVEL OF HUNGER:

I HAVE NO IDEA WHAT TO EAT

DATE: / /

WHAT'S FOR BREAKFAST:

WHAT'S FOR LUNCH:

WHAT'S FOR DINNER:

DON'T FORGET SNACKS:

SHOPPING LIST:

- ☐
- ☐
- ☐
- ☐
- ☐
- ☐
- ☐
- ☐
- ☐
- ☐
- ☐
- ☐
- ☐
- ☐
- ☐
- ☐
- ☐
- ☐
- ☐
- ☐
- ☐
- ☐
- ☐

TODAY'S LEVEL OF HUNGER:

I HAVE NO IDEA WHAT TO EAT

DATE: / /

WHAT'S FOR BREAKFAST:

WHAT'S FOR LUNCH:

WHAT'S FOR DINNER:

DON'T FORGET SNACKS:

SHOPPING LIST:

- ☐
- ☐
- ☐
- ☐
- ☐
- ☐
- ☐
- ☐
- ☐
- ☐
- ☐
- ☐
- ☐
- ☐
- ☐
- ☐
- ☐
- ☐
- ☐
- ☐
- ☐
- ☐
- ☐
- ☐

TODAY'S LEVEL OF HUNGER:

I HAVE NO IDEA WHAT TO EAT

DATE: / /

WHAT'S FOR BREAKFAST:

WHAT'S FOR LUNCH:

WHAT'S FOR DINNER:

DON'T FORGET SNACKS:

SHOPPING LIST:

- ☐
- ☐
- ☐
- ☐
- ☐
- ☐
- ☐
- ☐
- ☐
- ☐
- ☐
- ☐
- ☐
- ☐
- ☐
- ☐
- ☐
- ☐
- ☐
- ☐
- ☐
- ☐
- ☐

TODAY'S LEVEL OF HUNGER:

I HAVE NO IDEA WHAT TO EAT

DATE: / /

WHAT'S FOR BREAKFAST:

WHAT'S FOR LUNCH:

WHAT'S FOR DINNER:

DON'T FORGET SNACKS:

SHOPPING LIST:

- ☐
- ☐
- ☐
- ☐
- ☐
- ☐
- ☐
- ☐
- ☐
- ☐
- ☐
- ☐
- ☐
- ☐
- ☐
- ☐
- ☐
- ☐
- ☐
- ☐
- ☐
- ☐
- ☐

TODAY'S LEVEL OF HUNGER:

I HAVE NO IDEA WHAT TO EAT

DATE: / /

WHAT'S FOR BREAKFAST:

WHAT'S FOR LUNCH:

WHAT'S FOR DINNER:

DON'T FORGET SNACKS:

SHOPPING LIST:

- ☐
- ☐
- ☐
- ☐
- ☐
- ☐
- ☐
- ☐
- ☐
- ☐
- ☐
- ☐
- ☐
- ☐
- ☐
- ☐
- ☐
- ☐
- ☐
- ☐
- ☐
- ☐
- ☐
- ☐

TODAY'S LEVEL OF HUNGER:

I HAVE NO IDEA WHAT TO EAT

DATE: / /

WHAT'S FOR BREAKFAST:

WHAT'S FOR LUNCH:

WHAT'S FOR DINNER:

DON'T FORGET SNACKS:

SHOPPING LIST:

- ☐
- ☐
- ☐
- ☐
- ☐
- ☐
- ☐
- ☐
- ☐
- ☐
- ☐
- ☐
- ☐
- ☐
- ☐
- ☐
- ☐
- ☐
- ☐
- ☐
- ☐
- ☐
- ☐

TODAY'S LEVEL OF HUNGER:

I HAVE NO IDEA WHAT TO EAT

DATE: / /

WHAT'S FOR BREAKFAST:

WHAT'S FOR LUNCH:

WHAT'S FOR DINNER:

DON'T FORGET SNACKS:

SHOPPING LIST:

- [ ]
- [ ]
- [ ]
- [ ]
- [ ]
- [ ]
- [ ]
- [ ]
- [ ]
- [ ]
- [ ]
- [ ]
- [ ]
- [ ]
- [ ]
- [ ]
- [ ]
- [ ]
- [ ]
- [ ]
- [ ]
- [ ]
- [ ]
- [ ]

TODAY'S LEVEL OF HUNGER:

I HAVE NO IDEA WHAT TO EAT

DATE: / /

WHAT'S FOR BREAKFAST:

WHAT'S FOR LUNCH:

WHAT'S FOR DINNER:

DON'T FORGET SNACKS:

SHOPPING LIST:

- ☐
- ☐
- ☐
- ☐
- ☐
- ☐
- ☐
- ☐
- ☐
- ☐
- ☐
- ☐
- ☐
- ☐
- ☐
- ☐
- ☐
- ☐
- ☐
- ☐
- ☐
- ☐
- ☐
- ☐

TODAY'S LEVEL OF HUNGER:

I HAVE NO IDEA WHAT TO EAT

DATE: / /

WHAT'S FOR BREAKFAST:

WHAT'S FOR LUNCH:

WHAT'S FOR DINNER:

DON'T FORGET SNACKS:

SHOPPING LIST:

- ☐
- ☐
- ☐
- ☐
- ☐
- ☐
- ☐
- ☐
- ☐
- ☐
- ☐
- ☐
- ☐
- ☐
- ☐
- ☐
- ☐
- ☐
- ☐
- ☐
- ☐
- ☐
- ☐
- ☐

TODAY'S LEVEL OF HUNGER:

I HAVE NO IDEA WHAT TO EAT

DATE: / /

WHAT'S FOR BREAKFAST:

WHAT'S FOR LUNCH:

WHAT'S FOR DINNER:

DON'T FORGET SNACKS:

SHOPPING LIST:

- ☐
- ☐
- ☐
- ☐
- ☐
- ☐
- ☐
- ☐
- ☐
- ☐
- ☐
- ☐
- ☐
- ☐
- ☐
- ☐
- ☐
- ☐
- ☐
- ☐
- ☐
- ☐
- ☐

TODAY'S LEVEL OF HUNGER:

I HAVE NO IDEA WHAT TO EAT

DATE: / /

WHAT'S FOR BREAKFAST:

WHAT'S FOR LUNCH:

WHAT'S FOR DINNER:

DON'T FORGET SNACKS:

SHOPPING LIST:

- ☐
- ☐
- ☐
- ☐
- ☐
- ☐
- ☐
- ☐
- ☐
- ☐
- ☐
- ☐
- ☐
- ☐
- ☐
- ☐
- ☐
- ☐
- ☐
- ☐
- ☐
- ☐
- ☐
- ☐

TODAY'S LEVEL OF HUNGER:

I HAVE NO IDEA WHAT TO EAT

DATE: / /

WHAT'S FOR BREAKFAST:

WHAT'S FOR LUNCH:

WHAT'S FOR DINNER:

DON'T FORGET SNACKS:

SHOPPING LIST:

- [ ]
- [ ]
- [ ]
- [ ]
- [ ]
- [ ]
- [ ]
- [ ]
- [ ]
- [ ]
- [ ]
- [ ]
- [ ]
- [ ]
- [ ]
- [ ]
- [ ]
- [ ]
- [ ]
- [ ]
- [ ]
- [ ]
- [ ]

TODAY'S LEVEL OF HUNGER:

I HAVE NO IDEA WHAT TO EAT

DATE: / /

WHAT'S FOR BREAKFAST:

WHAT'S FOR LUNCH:

WHAT'S FOR DINNER:

DON'T FORGET SNACKS:

SHOPPING LIST:

- ☐
- ☐
- ☐
- ☐
- ☐
- ☐
- ☐
- ☐
- ☐
- ☐
- ☐
- ☐
- ☐
- ☐
- ☐
- ☐
- ☐
- ☐
- ☐
- ☐
- ☐
- ☐
- ☐

TODAY'S LEVEL OF HUNGER:

I HAVE NO IDEA WHAT TO EAT

DATE: / /

WHAT'S FOR BREAKFAST:

WHAT'S FOR LUNCH:

WHAT'S FOR DINNER:

DON'T FORGET SNACKS:

SHOPPING LIST:

- ☐
- ☐
- ☐
- ☐
- ☐
- ☐
- ☐
- ☐
- ☐
- ☐
- ☐
- ☐
- ☐
- ☐
- ☐
- ☐
- ☐
- ☐
- ☐
- ☐
- ☐
- ☐
- ☐

TODAY'S LEVEL OF HUNGER:

I HAVE NO IDEA WHAT TO EAT

DATE: / /

WHAT'S FOR BREAKFAST:

WHAT'S FOR LUNCH:

WHAT'S FOR DINNER:

DON'T FORGET SNACKS:

SHOPPING LIST:

- ☐
- ☐
- ☐
- ☐
- ☐
- ☐
- ☐
- ☐
- ☐
- ☐
- ☐
- ☐
- ☐
- ☐
- ☐
- ☐
- ☐
- ☐
- ☐
- ☐
- ☐
- ☐
- ☐

TODAY'S LEVEL OF HUNGER:

I HAVE NO IDEA WHAT TO EAT

DATE: / /

WHAT'S FOR BREAKFAST:

WHAT'S FOR LUNCH:

WHAT'S FOR DINNER:

DON'T FORGET SNACKS:

SHOPPING LIST:

- [ ]
- [ ]
- [ ]
- [ ]
- [ ]
- [ ]
- [ ]
- [ ]
- [ ]
- [ ]
- [ ]
- [ ]
- [ ]
- [ ]
- [ ]
- [ ]
- [ ]
- [ ]
- [ ]
- [ ]
- [ ]
- [ ]
- [ ]

TODAY'S LEVEL OF HUNGER:

I HAVE NO IDEA WHAT TO EAT

DATE: / /

WHAT'S FOR BREAKFAST:

WHAT'S FOR LUNCH:

WHAT'S FOR DINNER:

DON'T FORGET SNACKS:

SHOPPING LIST:

- ☐
- ☐
- ☐
- ☐
- ☐
- ☐
- ☐
- ☐
- ☐
- ☐
- ☐
- ☐
- ☐
- ☐
- ☐
- ☐
- ☐
- ☐
- ☐
- ☐
- ☐
- ☐
- ☐

TODAY'S LEVEL OF HUNGER:

I HAVE NO IDEA WHAT TO EAT

DATE: / /

WHAT'S FOR BREAKFAST:

WHAT'S FOR LUNCH:

WHAT'S FOR DINNER:

DON'T FORGET SNACKS:

SHOPPING LIST:

- ☐
- ☐
- ☐
- ☐
- ☐
- ☐
- ☐
- ☐
- ☐
- ☐
- ☐
- ☐
- ☐
- ☐
- ☐
- ☐
- ☐
- ☐
- ☐
- ☐
- ☐
- ☐
- ☐

TODAY'S LEVEL OF HUNGER:

I HAVE NO IDEA WHAT TO EAT

DATE: / /

WHAT'S FOR BREAKFAST:

WHAT'S FOR LUNCH:

WHAT'S FOR DINNER:

DON'T FORGET SNACKS:

SHOPPING LIST:

- ☐
- ☐
- ☐
- ☐
- ☐
- ☐
- ☐
- ☐
- ☐
- ☐
- ☐
- ☐
- ☐
- ☐
- ☐
- ☐
- ☐
- ☐
- ☐
- ☐
- ☐
- ☐
- ☐

TODAY'S LEVEL OF HUNGER:

I HAVE NO IDEA WHAT TO EAT

DATE: / /

WHAT'S FOR BREAKFAST:

WHAT'S FOR LUNCH:

WHAT'S FOR DINNER:

DON'T FORGET SNACKS:

SHOPPING LIST:

- ☐
- ☐
- ☐
- ☐
- ☐
- ☐
- ☐
- ☐
- ☐
- ☐
- ☐
- ☐
- ☐
- ☐
- ☐
- ☐
- ☐
- ☐
- ☐
- ☐
- ☐
- ☐
- ☐

TODAY'S LEVEL OF HUNGER:

I HAVE NO IDEA WHAT TO EAT

DATE: / /

WHAT'S FOR BREAKFAST:

WHAT'S FOR LUNCH:

WHAT'S FOR DINNER:

DON'T FORGET SNACKS:

SHOPPING LIST:

- ☐
- ☐
- ☐
- ☐
- ☐
- ☐
- ☐
- ☐
- ☐
- ☐
- ☐
- ☐
- ☐
- ☐
- ☐
- ☐
- ☐
- ☐
- ☐
- ☐
- ☐
- ☐
- ☐
- ☐

TODAY'S LEVEL OF HUNGER:

I HAVE NO IDEA WHAT TO EAT

DATE: / /

WHAT'S FOR BREAKFAST:

WHAT'S FOR LUNCH:

WHAT'S FOR DINNER:

DON'T FORGET SNACKS:

SHOPPING LIST:

- [ ]
- [ ]
- [ ]
- [ ]
- [ ]
- [ ]
- [ ]
- [ ]
- [ ]
- [ ]
- [ ]
- [ ]
- [ ]
- [ ]
- [ ]
- [ ]
- [ ]
- [ ]
- [ ]
- [ ]
- [ ]
- [ ]
- [ ]

TODAY'S LEVEL OF HUNGER: